ZÜRICH

Photo, Text & Design:

Dino Sassi

PHOTOGLOB ZÜRICH

ZÜRICH

Zürich

Die Ursprünge Zürichs gehen weit in die vorrömische Zeit zurück. Als die Römer Helvetien eroberten, bestand am Ausfluss der Limmat aus dem Zürichsee bereits eine grössere Siedlung. Sie errichteten im Jahre 15 v.Ch. am Limmatübergang an der Stelle der heutigen Rathausbrücke eine Zollstation, die durch das Castellum Turicum auf dem Lindenhof befestigt wurde. Im 9.Jahrhundert bauten die fränkischen Könige an seiner Stelle eine Pfalz. Eine Stadt Zürich wird erstmals 959 erwähnt. Sie wurde 1218 reichsfrei und schloss sich 1351 dem Bund der Eidgenossen an.

Zürich, Hauptort des gleichnamigen Schweizerkantons, war bis zum Zusammenbruch der alten Eidgenossenschaft 1798 unter dem Druck der französischen Revolutionsheere eine souveräne Stadtrepublik mit einem bedeutenden Herrschaftsgebiet. In die Regierung teilten sich seit der 1336 von Rudolf Brun eingeführten Zunftverfassung je zur Hälfte die ehemals adlige Gesellschaft zur Constaffel und die 13 alten Handwerkerzünfte. Der Wohlstand des Stadtstaates fusste auf dem Tuchhandel, später namentlich auf der Seidenindustrie. Das alte Zürich war ein Bollwerk der Reformation, seit von hier aus der Leutpriester Huldrych Zwingli von 1519 an die neue Glaubenslehre verkündet hatte.

Heute ist Zürich die grösste Stadt der Schweiz und die Handelsmetropole des Landes. Die wichtigsten Wirtschaftszweige sind die Maschinen- und die Metallindustrie, der Textilhandel, die graphische Industrie und vor allem auch die Banken und Versicherungen. Zürich hat sowohl als Finanz- und Börsenplatz wie auch als Goldhandelszentrum Weltrang. Die Gegend rund um die Bahnhofstrasse und den Paradeplatz ist deshalb nicht nur der renommierten Ladengeschäfte wegen über die Landesgrenze hinaus bekannt. Mit der grössten Universität des Landes und der Eidgenössischen Technischen Hochschule beherbergt die Stadt zwei angesehene Bildungsanstalten von internationaler Bedeutung. Sie verfügt über eine grosse Anzahl erstrangiger Kulturinstitute verschiedenster Richtung. Der vor den Toren Zürichs liegende Airport Zürich-Kloten gehört zu den leistungsfähigsten interkontinentalen Flughäfen Europas.

Zürich ist eine typische Flussstadt. Ihr Kern entstand um die Brückenköpfe auf beiden Ufern der Limmat, die den eigentlichen Lebensnerv der alten Siedlung bildeten. Da wo der Zürichsee sich zum Limmatfluss verengt, bietet sich seewärts ein faszinierender Blick in die Alpen und – limmatabwärts zur Stadt gewendet – auf die stolzen Türme des Grossmünsters, des Fraumünsters und des St.Peter. Die Limmat fliesst in fast gerader Linie von Süden nach Norden und trennt die Innenstadt in einen rechtsufrigen Teil mit Grossmünster, Rathaus, Limmatquai und Niederdorf und in einen linksufrigen Teil mit Fraumünster, Paradeplatz, St.Peter, Bahnhofstrasse, Hauptbahnhof und Landesmuseum.

Zurich

Les origines de Zurich remontent à l'époque préromaine déjà. Lorsque les Romains conquièrent l'Helvétie, une cité relativement importante était déjà implantée à l'endroit où la Limmat quitte le lac de Zurich. En l'an 15 av. J.-C., ils établirent un péage sur le passage de la Limmat, à l'emplacement de l'actuel Rathausbrücke. Ce péage était fortifié par l'actuel Castellum Turicum, sur le Lindenhof. Au IXe siècle, les rois francs y construisirent un château impérial. C'est en 959 que la ville de Zurich est mentionnée pour la première fois. En 1218, elle devint ville impériale libre et en 1351, elle s'allia aux Confédérés.

Zurich, chef-lieu du canton suisse de même nom, fut une république citadine souveraine possédant un territoire étendu, et ceci jusqu'à l'effondrement de l'ancienne Confédération, en 1789, dû à la pression des armées révolutionnaires françaises. Depuis l'établissement des statuts des corporations par Rudolf Brun, en 1936, la société jadis patricienne des Constaffel et les treize anciennes corporations d'artisans se partageaient le pouvoir à parts égales. La prospérité de la cité-état lui venait du commerce des étoffes, puis plus particulièrement de l'industrie de la soie. L'ancienne Zurich fut un bastion de la Réforme, puisque, à partir de 1519, le prêtre séculier Huldrych Zwingli y prêcha ses nouvelles doctrines.

De nos jours, Zurich est la plus grande ville de Suisse et la métropole commerciale du pays. Les principales branches de l'économie de la ville sont l'industrie des machines et la métallurgie, le commerce des tissus et l'industrie graphique, mais aussi, pour une large part, les banques et les assurances. Zurich se range parmi les grandes capitales des finances, de la bourse et du marché de l'or. Si les quartiers environnant la Bahnhofstrasse et le Paradeplatz sont connus au-delà de nos frontières, le fait n'est donc pas dû à la seule présence des magasins renommés. La ville abrite deux établissements d'enseignement réputés, d'envergure internationale: l'université la plus importante de Suisse et l'École polytechnique fédérale. Elle dispose d'un grand nombre d'institutions culturelles de premier ordre, consacrées aux domaines les plus variés. L'aéroport de Zürich-Kloten, situé aux portes de la ville, compte parmi les aéroports intercontinentaux d'Europe offrant les prestations les plus élevées.

Zurich est l'exemple typique d'une ville établie en bordure d'un cours d'eau: son noyau s'est formé autour des ponts franchissant la Limmat, l'artère vitale proprement dite de l'ancienne cité. De l'endroit où le lac se resserre, on aperçoit les Alpes, vision fascinante, si l'on se tourne vers le large. Du côté de la ville, en aval de la Limmat, ce sont les tours altières du Grossmünster, du Fraumünster et de l'église Saint-Pierre, la Paradeplatz, la Bahnhofstrasse, la gare principale et le Musée national sont situés sur la rive gauche.

Zurich

Zurich's origins extend far back into pre-Roman times. When the Romans conquered Helvetia, there was already a good-sized settlement in existence at the point where the Limmat River flows out of the Lake of Zurich. In 15 B.C. at the Limmat crossing, on the site of the present Rathaus (Town Hall) Bridge, the Romans erected a customs station, which was reinforced by the Castellum Turicum on Lindenhof hill. In the ninth century the Frankish kings built a palace on this spot. The first mention of a city of Zurich dates to 959. In 1218 it became independent of the Holy Roman Empire of Germany and in 1351 it joined the Swiss Confederation.

Until the collapse of the old Confederation in 1798 under pressure from the French revolutionary armies, Zurich as centre of the Swiss canton of the same name was a sovereign republican city-state controlling a considerable territory. Since the Guild Constitution introduced by Rudolf Brun in 1336, the government was divided evenly between the noble constabulary society and the thirteen old craft guilds. The prosperity of the city-state was based on textile trade, an later more specifically on the silk industriy. Old Zurich was a bulwark of the Reformation, for it was from here that the lay minister Huldrych Zwingli preached the new faith, beginning in 1519.

Today Zurich is the largest city in Switzerland and the country's commercial metropolis. Its major business segments are the machine building and metalworking industry, textile trade, the graphics industry and most especially banks and insurancees. Zurich holds an important global position both as a financial and stock market centre and as a gold trading point. Finance, even more than the famed shops and boutiques, have made the area around Bahnhofstrasse and Paradeplatz well known beyond Switzerland's borders. With the largest Swiss university and the Federal Institute of Technology both located here, the city boasts two prestigious seats of higher learning of solid international reputation. It also has a large number of first-class cultural institutes in many different fields. Zurich-Kloten airport, situated just outside the city limits, is one of the busiest and best-equipped intercontinental airports in Europe.

Zurich is a typical river town. The heart of the city arose around the bridgeheads on either side of the Limmat, the river that formed the real life-line of the old settlement. The point where Lake Zurich narrows into the Limmat River commands a fascinating outlook across the lake to the Alps, and – in the opposite direction, facing down the Limmat towards the city – a view of the proud towers of the Grossmünster church as well as the Fraumünster and St.Peter's. Flowing almost in a straight line from south to north, the Limmat divides the city centre into a right bank area including the Grossmünster, Town Hall, Limmat quai and Niederdorf (the Old Town) and a left bank with the Fraumünster, Paradeplatz, St.Peter's, Bahnhofstrasse, the main railway station and the Landesmuseum.

Zurigo

Le origini di Zurigo vanno ricercate ben prima dell'avvento dei Romani. Quando i Romani conquistarono l'Elvezia, nel punto in cui il fiume Limmat si separa dal lago di Zurigo, esisteva già una colonizzazione di una certa dimensione. Nell'anno 15 a.C. sulla traversata del Limmat, al posto dell'attuale ponte del municipio, era stato istituito un posto doganale che veniva fortificato dal Castellum Turicum, sul Lindenhof. Al suo posto, nel nono secolo, i re franchi construirono un palazzo. La prima volta che fu nominato il nome Zurigo fu nel 959. La città divenne «libera» nel 1218 e nel 1351 entrò a far parte dell'unione dei Confederati.

Zurigo, capoluogo dell'omonimo cantone, fu, fino al crollo della vecchia Confederazione sotto la pressione dell'esercito rivoluzionario francese, una repubblica sovrana con un importante territorio di dominio. Dal 1336, data dell'introduzione dello statuto della corporazione da parte di Rudolf Brun, si succedettero al governo, con interscambiabilità regolare, l'allora società nobile Constaffel e le 13 vecchie corporazioni degli artigiani. Il benessere della città-stato si fondava sul commercio di stoffe, più tardi soprattutto sull'industria della seta. La vecchia Zurigo fu un baluardo della Riforma, da quando il prete secolare Huldrych Zwingli annunciò nel 1519 la nuova dogmatica.

Oggi Zurigo è la città più grande della Svizzera e la metropoli commerciale del paese. I settori industriali più importanti sono l'industria meccanica, l'industria metallurgica, il commercio tessile, l'industria grafica e soprattutto banche e assicurazioni. Zurigo riveste un'importanza mondiale sia come piazza finanziaria e borsistica che come centro per il commercio dell'oro. La zona intorno alla Bahnhofstrasse e a Paradeplatz non è quindi conosciuta in tutto il mondo solo per i suoi rinomati negozi. Con la più grande università del paese e il politecnico federale la città possiede due istituti di importanza mondiale. Dispone di una serie di instituti culturali di primo piano che spaziano nelle direzioni più svariate. L'aeroporto di Zurigo-Kloten situato alle porte di Zurigo fa parte degli aeroporti intercontinentali più efficienti d'Europa.

Zurigo è una tipica città di fiume. Il suo nucleo si è formato attorno alle teste di ponte su entrambe le rive del Limmat che rappresentavano il vero ganglio vitale della vecchia comunità. Là dove il lago di Zurigo si ristringe per dar spazio al Limmat vengono offerte delle viste stupende: dalla parte del lago si ha una vista affascinante sulle Alpi, mentre dalla parte del fiume, rivolti verso la città, si ha una vista sulle fiere torri di Grossmünster, Fraumünster e St.Peter. Il Limmat ha una linea quasi diritta da sud verso nord e divide il cuore della città in una riva destra con Grossmünster, municipio, Limmatquai e Niederdorf e in una riva sinistra con Fraumünster, Paradeplatz, St.Peter, Bahnhofstrasse, stazione centrale e Landesmuseum.

Zurich

El origen de la ciudad de Zurich remonta a la era anterior a la Romana. Cuando los Romanos conquistaron Helvetia, ya existía en la desembocadura del río Limmat en el lago de Zurich una población de considerable importancia. En el año 15 A.C. fue construída una aduana, donde se encuentra actualmente el punte del Rathaus, que fue fortificada por el Castellum Turicum del Lendenhof. En el siglo 9 los reyes francos construyeron un palacio imperial en su lugar. En 959 se menciona por primera vez la existencia de una ciudad de Zurich. En 1218 se independizó del imperio y en 1351 se unió a la Confederación.

Zurich, capital del cantón suizo del mismo nombre, fue una ciudad republicana soberana de dominio considerable, hasta la caída de la antigüa confederación en 1798. Desde la introducción de la constitución de las corporaciones par Rudolf Brunn en 1336, el gobierno estaba repartido entre los nobles de la corporación Constaffel y las 13 corporaciones más antigüas. La prosperidad de la Ciudad Estado se basó en el comercio de paños, y más tarde en la industria de la seda. El antigüo Zurich fue un baluarte de la Reforma, pues el pastor Huldrych Zwingli proclamó la nueva creencia a partir de 1519.

Hoy en día, Zurich es la ciudad más grande de Suiza y el centro comercial del país. Los sectores económicos más importantes son la industria de máquinas y la metalurgia, el comercio textil, la industria gráfica y también los bancos y compañías de seguros. Zurich ocupa una posición mundial como mercado financiero y agente de bolsa, así también como centro de comercio del oro. El área de la Bahnhofstrasse y el Paradeplatz, no son conocidos únicamente por las tiendas de renombre mundial. Se encuentran también en Zurich una gran cantidad de institutos de educación de fama mundial, así también como la universidad más importante del país y la Escuela Técnica Superior Federal. El Aeropuerto de Kloten, a pocos kilómetros de Zurich es uno de los aeropuertos de tráfico más intensivo en Europa continental. Zurich es una ciudad de rivera típica. El núcleo de la ciudad se originó al pie de los puentes a orillas del Limmat, formando el núcleo vital de la antigüa población.

Allí donde el lago de Zurich desemboca en el río Limmat se obtiene un panorama fascinante de los Alpes detrás del lago, y mirando en dirección de la corriente del río se pueden apreciar los campanarios del Grossmünster, la Fraumünster y la iglesia de St.Peter. El río Limmat fluye en línea casi recta de sur a norte y divide a la ciudad en núcleos, uno a la derecha del río con el Grossmünster, Rathaus, Limmatquai y Niederdorf y uno a la izquierda del río con la Fraumünster, Paradeplatz, St.Peter, Bahnhofstrasse, Hauptbahnhof/Estación Central y Landesmuseum/Museo Nacional.

チューリッヒ

チューリッヒの起源は遠く前ローマ時代にまで遡ります。ローマ人が当時のアルプス地方、ヘルヴェチアを征服した頃、チューリッヒ湖のリンマット川流出地点には既に大規模な集落が形成されていました。紀元前15年に、ローマ人は現在の市庁舎橋(ラートハウス・ブリュッケ)の位置にあったリンマット川横断交通路に税関を設け、リンデンホーフの丘の砦、カステルム・トゥリクウムによって守備警護していました。9世紀にはフランク王国がこの場所に宮城を建てました。959年に市としてのチューリッヒの名が初めて史上に記録されました。1218年には神聖ローマ帝国直轄となり、1351年には連邦同盟に加盟しました。

チューリッヒは同名のカントン、即ち州の首都であり、1789年フランス革命軍の圧制による旧連邦同盟崩壊までは、重要な領地を有した主権独立の都市共和国でした。1336年のルドルフ・ブルンによるギルド定款制定以来、元貴族社会のコンスターフェルと古くからの手工業ギルドの13団体が市行政府をそれぞれ半分ずつに分けあっていました。都市国家の繁栄は織物取引、時代が下ると特に絹織物工業に基づいたものでした。昔のチューリッヒは、1519年に教区付司祭のフルドリッヒ・ツヴィングリが新しい教義をこの地で唱えて以来、宗教改革の楼堡でした。

現在、チューリッヒはスイス最大の都市であり、この国の商業中心地です。最も重要な産業部門は機械金属工業、繊維産業、グラフィック産業、そして何よりも銀行・保険業です。チューリッヒは、金融・証券取引場及びに金取引センターとして世界的な地位を築いています。ですから、バーンホーフシュトラーセやパラーデ広場の界隈周辺は、有名な商店によってのみ外国にまで知られているわけではありません。スイス最大の大学と連邦工科大学を有して、この街は国際的にも重要な二つの著名な教育機関の所在地でもあり、各分野にわたるオー級の文化機関団体を数多く有しています。チューリッヒ郊外のチューリッヒ・クローテン空港はヨーロッパの国際空港の中でも、最先端の近代的設備機能を誇る部類に属します。

チューリッヒはまた、典型的な河流の街です。この街の核は、昔の集落のそもそもの生命線を成していたリンマット川の両岸の橋頭に発達しました。チューリッヒ湖がリンマット川になる地点から、湖に向かっては、かの魅惑的なアルプス連山への眺めがあり、リンマット下流の市街へ向かっては、グロース・ミュンスターやフラウミュンスター、さらにサンクト・ペーター教会などの誇らしげな塔が眺められます。リンマット川は南から北にほぼ直線に流れ、市街地を、グロース・ミュンスター、市方舎、リンマット・ケー、及びニーダードルフなどのある右岸地区とフラウミュンスター、パラーデ広場、サンクト・ペーター教会、バーンホーフシュトラーセ、国鉄中央駅、それに国立博物館などのある左岸地区に分けています。

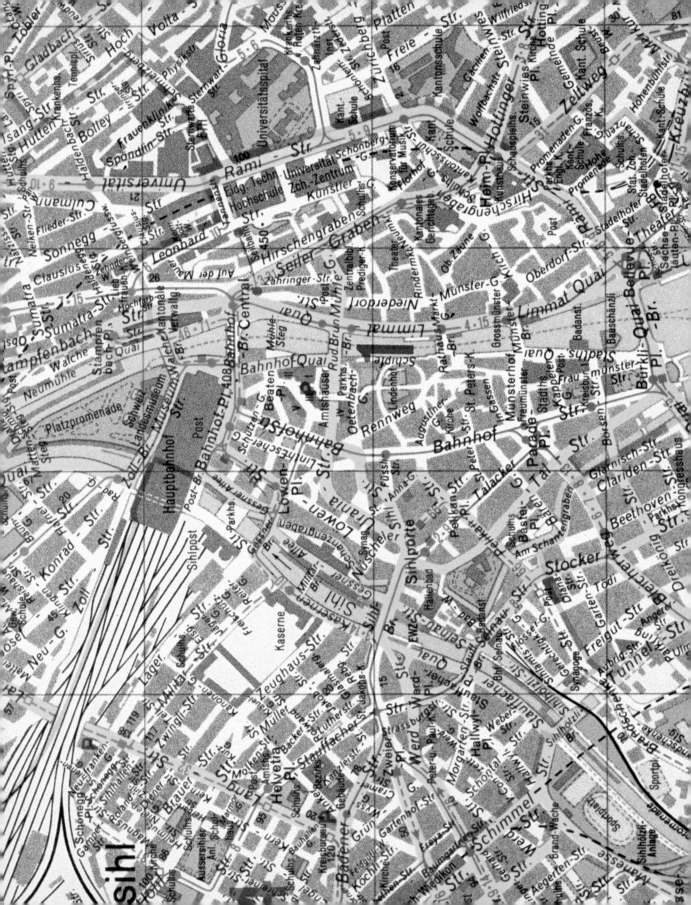

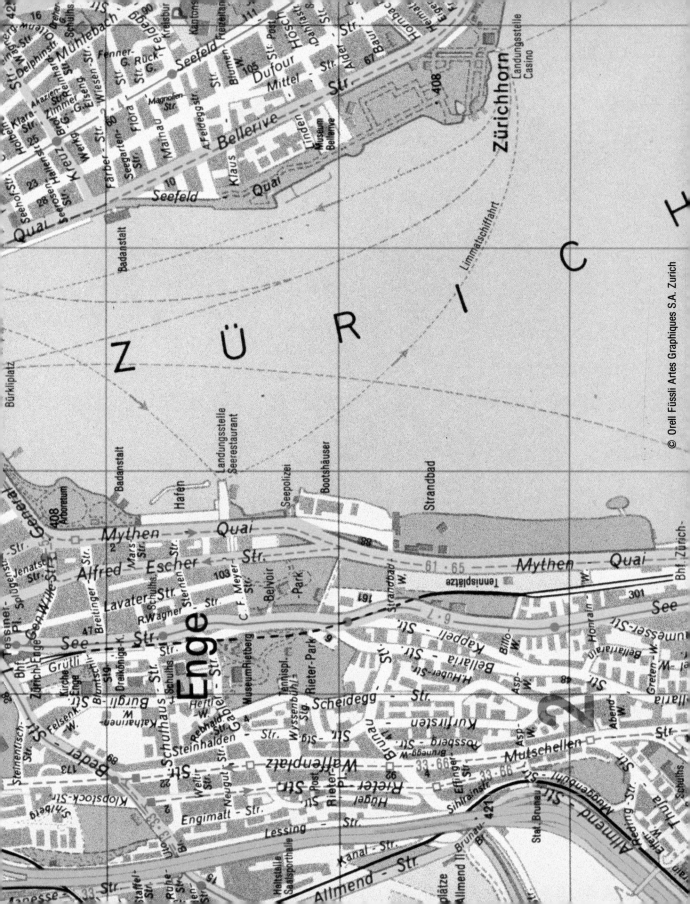

Der Hauptbahnhof ist einer der meistbesuchten, belebtesten Treffpunkte der ganzen Stadt. Die Hauptfassade ist mit eleganten Skulpturen dekoriert. Ihr vorgelagert steht das Denkmal für Alfred Escher, eines Förderers der schweizerischen Eisenbahnen.

La gare de Zurich est l'un des endroits les plus fréquentés et les plus animés de la ville. Elle est visitée non seulement par les voyageurs mais aussi par les touristes qui viennent admirer sa façade imposante, ornée d'élégantes sculptures, ainsi que le monument à Alfred Escher, le créateur du système ferroviaire suisse moderne, qui se dresse en face de la gare.

The railway station is one of the busiest and livliest centres in the whole city. It is a necessary stop not only for travellers, but also for tourists with its impressive façade, decorated with elegant sculptures. In front of the building is a monument to Alfred Escher, the creator of the modern Swiss rail system.

La Stazione Ferroviaria è uno dei centri più frequentati ed animati di tutta la città. Punto obbligato non solo per chi viaggia, ma anche per i turisti. La sua imponente facciata è decorata con eleganti sculture e con l'antistante monumento ad Alfred Escher, il creatore del moderno sistema ferroviario svizzero.

La Estación es uno de los sitios más animados y recorridos de la ciudad. Etapa cardinal no sólo para los viajeros, sino también para los turistas, su grandiosa fachada es decorada con esculturas elegantes y con el monumento a Alfred Escher, el creador del moderno sistema ferroviario suizo.

チューリッヒ中央駅は市内で最も賑やかな繁華街の一つです。乗客ばかりでなく、観光客もかならず通りかかる場所です。駅の壮大な正面は気のきいた彫刻で飾られ、その前にはスイスの現代鉄道網を創案したアルフレッド・エシャーの記念碑が立っています。

Das Landesmuseum hinter dem Hauptbahnhof. In ihm sind die Fundstücke ausgestellt, welche die geschichtlich-kulturelle Entwicklung der Schweiz belegen.

Au Musée National, situé derrière la gare, sont exposés les documents qui illustrent le développement historique et culturel de la Suisse.

In the National Museum, behind the railway station, there are exhibits illustrating the historico-cultural history of Switzerland.

Il Museo Nazionale, dietro la Stazione Ferroviaria, dove sono esposti i reperti che illustrano lo sviluppo storico-culturale della Svizzera.

En el Museo Nacional, detrás la estación, se guardan las huellas que ilustran el desarrollo histórico-cultural de la Suiza.

中央駅の裏手のスイス国立博物館にはスイスの歴史と文化的発展の歩みを示す資料が陳列されています。

Zwei Flüsse durchqueren Zürich: die Limmat und die Sihl. Von der Bahnhofstrasse, in deren weiteren Umgebung sich die charakteristische Polybahn befindet, beginnt in der Regel die Stadtrundfahrt für Touristen.

Deux fleuves, la Limmat et la Sihl, traversent Zurich. La visite touristique de la ville commence généralement par la Bahnhofstrasse, aux environs de laquelle se trouve la typique Polybahn.

Two rivers, the Limmat and the Sihl, flow through Zurich. The tourist circuit of the city usually begins from Bahnhofstrasse, near the characteristic Polybahn.

Due fiumi, la Limmat e la Sihl, attraversano Zurigo. Dalla Bahnhofstrasse, nei cui pressi si trova la caratteristica Polybahn, incomincia, di regola, il giro turistico della città.

Dos ríos, la Limmat y el Sihl, cruzan Zurich. La vuelta turística a la ciudad empieza, por regla, desde la Bahnhofstrasse, cerca de la cual se encuentra la característica Polybahn.

チューリッヒの町に
流れる二本の川、リ
マト川とシール川。
特色あるポリバーン
のあたりのバーンホ
ーフ通りから市内観
光がスタートします。

Die Bahnhofstrasse mit ihren unzähligen Schaufenstern, exklusiven Geschäften und beeindruckenden Gebäuden, in denen Banken und Büros untergebracht sind, ist das eigentliche Zentrum Zürichs. Wenige Schritte vom Bahnhof entfernt, erhebt sich in einer Grünanlage das Denkmal von Johann Heinrich Pestalozzi, jenes über die Landesgrenze hinaus anerkannten Pädagogen und Sozialreformers.

La Bahnhofstrasse est le symbole de Zurich par excellence, avec ses inombrables boutiques et ses vitrines, ses édifices imposants qui abritent Banques et bureaux. Non loin de la Gare, au milieu d'un beau jardin, se dresse le monument à Johann Heinrich Pestalozzi, pédagogue et réformateur social consacré par l'histoire.

The Bahnhofstrasse is itself a symbol of Zurich, with its numerous shop windows and boutiques, impressive buildings, head offices of banks and offices. A short walk from the station is a green garden with a monument to Johann Heinrich Pestalozzi, a pedagogue and social reformer revered by history.

La Bahnhofstrasse è il simbolo stesso di Zurigo, con le sue innumerevoli vetrine e boutiques, imponenti palazzi sedi di Banche ed uffici. A pochi passi dalla Stazione, in un verde giardino si erge il monumento a Johann Heinrich Pestalozzi, pedagogo e riformatore sociale consacrato dalla Storia.

La Bahnhofstrasse es el símbolo mismo de la ciudad, con sus numerosas tiendas, boutiques, escaparates, palacios elegantes que abrigan bancos y oficinas. Cerca de la estación, en el medio de un verde jardín, surge el monumento a Johann Heinrich Pestalozzi, célebre pedagogo y reformador social, consagrado por la Historia.

バーンホーフ通り（駅前通り）はチューリッヒそのものを象徴している。数多くのショーウィンドー、ブティック、銀行、ビジネス街。中央駅の近くの公園には、世界的に知られた教育者であり社会改革者ヨハン・ハインリッヒ・ペスタロッツィの記念碑があります。

Das Glockenspiel der Uhr über dem Zugang eines Spezialgeschäftes der Bahnhofstrasse zieht immer wieder die Aufmerksamkeit der Passanten an.

L'horloge caractéristique, à campanes et statuettes mobiles, d'un magasin connu de la Bahnhofstrasse, ne cesse d'attirer l'attention admirative des passants.

The characteristic clock with bells and moving statuettes at a famous shop in the Bahnhofstrasse never ceases to attract the admiring attention of passers-by.

Il caratteristico orologio a campane e statuine moventi di un noto negozio della Bahnhofstrasse non cessa di attirare l'ammirata attenzione dei passanti.

El típico reloj de campana y pequeñas estatuas que se mueven de una famosa tienda de la Bahnhofstrasse siguen llamando la atencíon admirada de los transeúntes.

いつも通行人を魅了するバーンホーフ通りの有名店を飾る珍しいベル時計や動く人形時計。

Im Zentrum Zürichs findet die kosmopolitische Atmosphäre der Stadt ihre Bestätigung auch im Fahnenschmuck an den Gebäuden und in den Strassen.

In the Bahnhofstrasse and adjacent streets the cosmopolitan atmosphere of the city is confirmed by this exhibition of the national colours of the whole world.

El aire cosmopolito de la ciudad se destaca sobretodo en el medio de la exposición de colores nacionales de todo el mundo que desfilan en la Bahnhofstrasse y en calles cercanas.

Dans la Bahnhofstrasse et les rues adjacentes, l'exposition des couleurs nationales du monde entier témoigne de l'atmosphère cosmopolite de la ville.

Sulla Bahnhofstrasse e vie adiacenti l'atmosfera cosmopolita della città trova conferma in questa esposizione dei colori nazionali di tutto il mondo.

バーンホーフ通りとその近辺の国際的な雰囲気は、この世界各国の国旗の陳列に現れています。

An der äusserst belebten Uraniastrasse, in der sich, nicht übersehbar die Sternwarte erhebt, stehen architektonisch interessante Geschäftshäuser.

La rue Urania, très animée, avec l'Observatoire Astronomique, contraste avec les tranquilles rues internes de la vieille ville, bordées de maisons aux typiques balcons fermés.

In contrast to the very busy Urania street with its Astronomical Observatory are the peaceful internal streets of the old city with their typical closed balconies.

Alla frequentatissima Via Urania, con l'Osservatorio Astronomico fanno contrasto le tranquille strade interne con i tipici balconi chiusi della città vecchia.

Contrastan la muy recorrida Calle Urania, con el Observatorio Astronómico, las tranquilas callejuelas al interior con los típicos balcones cerrados del barrio antiguo.

通行の激しいウラニア通りと天文台、古い町の典型的な仕切られたバルコニーと静かな路地が対照的です。

Die grossen Geschäfte und Boulevardcafés werden stets von einer vielfältigen, interessanten Menschenmenge belebt. Während der schönen Jahreszeit bleiben die Leute gern bis spät abends im Freien - wie in einem Mittelmeerland.

Les Grands Magasins et les Cafés sont toujours remplis d'une foule hétéroclite et intéressante. Durant la belle saison, les gens aiment rester dehors jusque tard le soir, comme dans les pays méditerranéens.

The big department stores and boulevard cafés are always lively with a varied and interesting crowd. In summer, people like to stay outside until late, as in the Mediterranean countries.

I grandi Magazzini ed i Cafè Boulevard sono sempre animati da una folla varia ed interessante. Durante la bella stagione la gente ama trattenersi all'aperto fino a tardi, come in un paese mediterraneo.

Los grandes Almacenes, los Cafés Boulevards están siempre animados por una muchedumbre varia e interesante. En la estación templada, aquí, a la gente le gusta mucho salir por la noche hacia tarde, como en un país mediterráneo.

百貨店やボレバード喫茶店には、いつも さまざまな人と好奇心とで溢れています。 気候の良い季節は、地中海の町同様、夜 更けまで屋外で過ごします。

Lindenhof
um 1862

Der Lindenhof ist eine baumbestandene Anhöhe mitten in der Stadt. Hier stand das Kastell der römischen Zollstation Turicum und später eine kaiserliche Pfalz. Von dieser Oase der Ruhe aus geniesst man eine zauberhafte Aussicht auf das rechte Limmatufer.

Le Lindenhof est une éminence boisée sur laquelle s'élevait autrefois le noyau primitif de la ville, appelée ''Turicum'' par les Romains. Cette oasis de paix et de tranquillité offre une ravissante vue sur la rive droite de la Limmat.

The Lindenhof is a mound covered with shady trees where the city's primitive nucleus once was; the Romans called it ''Turicum'' It is an oasis of peace and quiet and offers a marvellous view of the right bank of the Limmat.

Il Lindenhof è un'altura alberata ove sorgeva il nucleo primitivo della città, dai Romani chiamata ''Turicum''. Oasi di pace e tranquillità, offre una vista incantevole sulla sponda destra della Limmat.

El Lindenhof es una altura arbolada donde surgía el núcleo originario de la ciudad, llamada por los Romanos ''Turicum''. Es un lugar de paz y tranquilidad que ofrece una estupenda vista de la orilla derecha del río Limmat.

リンデンホフは、古代ローマ人が「トリクム」と呼んだように町の根源が発した高原の緑地です。平和のオアシスと静けさ。リマト川右岸の絶景。

Romantische Treppchen und Gassen füh-
en zur Altstadt, die die heimelige Atmosphäre der Vergangenheit bewahrt hat.
Brunnen, Statuen und Fresken auf den
Fassaden der Häuser stellen das natürli-
che Bühnenbild dar, vor dem sich der eili-
ge Besucher nicht weniger verwundert
bewegt als der aufmerksame Betrachter.

Des escaliers et des ruelles romantiques
descendent du Lindenhof vers la vieille ville
qui conserve aujourd'hui encore l'atmosphère intime du passé. Fontaines, statues,
fresques peintes sur les façades des maisons, constituent le décor naturel au milieu
duquel se promène admiratif aussi bien le
visiteur occasionnel et pressé que le tou-
riste préparé et attentif.

Romantic steps and pathways lead down
from the Lindenhof towards the old city
where the intimate atmosphere of the past
is preserved unaltered. Fountains, statues,
and external frescoes on the walls of the
houses are the natural scenery admired
both by occasional visitors passing
through in a hurry, and also by the more
attentive tourist.

Romantiche scalinate e stradine scendo-
no dal Lindenhof verso la città vecchia che
conserva ancora immutata l'intima atmosfera del passato. Fontane, statue, affreschi esterni sulle facciate delle case sono
lo scenario naturale nel quale si muove
ammirato sia il visitatore occasionale e fret-
toloso che il turista più preparato ed
attento.

Románticas escalinadas y callejuelas ba-
jan desde el Lindenhof hacia el barrio antiguo que guarda inmutable el aire íntimo
del pasado. Fuentes, estatuas, pinturas sobre las fachadas de los palacios consti-
tuyen el escenario natural en que se
mueve encantado el visitator ocasional y
de prisa y el turista más atente y pre-
parado.

リンデンホフから下るロマンチック
な階段と坂道が、今なお昔のままに
過去の姿を保つオールドタウンへと
向かっています。噴水、像、家の正
面のフレスコは、足早やにふと訪れ
た人も予備知識を持った注意深い観
光客も感嘆する光景です。

Das linke Limmatufer zur Fraumünsterkirche hin ist den Zürchern unter dem Namen "Wühre" bekannt. Sie bietet einen eindrucksvollen Anblick der Altstadt, die vom romanischen Turm der St. Peterskirche beherrscht wird. Geschäfte und Strassencafés laden zum Verweilen ein; hier kann man sich, weg vom Lärm und Verkehr der überfüllteren Strassen, so richtig entspannen.

La rive gauche de la Limmat, du Rathausbrücke vers la Fraumünsterkirche, est appelée par les Zurichois Wühre. Elle offre une ravissante vue sur la vieille ville dominée par la tour romane de la St.-Peterskirche. Des boutiques raffinées et des cafés en plein air invitent à s'arrêter et à se reposer, loin du bruit et du trafic des rues les plus animées.

The left bank of the Limmat from the Rathausbrücke towards the Fraumünsterkirche is known as Wühre to the inhabitants of Zurich. It offers a pretty view of the old city with the Roman tower of the St. Peterskirche above it. Elegant boutiques and open air cafés invite one to browse and relax far from the noise and traffic of the busier streets.

La riva sinistra della Limmat verso la Fraumünsterkirche è nota agli Zurighesi con il nome di Wühre. Essa offre una suggestiva veduta della città vecchia sovrastata dalla torre romanica della St. Peterkirche. Raffinate boutiques e caffé all'aperto invitano ad indugiare e rilassarsi lontani dal rumore e dal traffico delle strade più affollate.

La parte izquierda de la ribera de la Limmat desde el Rathausbrücke hacia la Fraumünsterkirche lleva el nombre de Wühre.
Ofrece una sugestiva visión del barrio antiguo en que se destaca la romántica torre de la iglesia de San Pedro. Elegantes tiendas y cafés al aire libre invitan al descanso lejos de los ruídos y de la circulación de las calles más animadas.

ラザスブルクからフラウミュンスターに向かうリマト川の左の川は、チューリッヒの人々にはウールの名で知られています。ザンクト・ペーター教会のロマネスクの塔から見おろすオールドタウンの眺めが素晴らしい。屋外の高級ブティックやカフェーは、混雑した通りの雑踏から離れ、いこいと安らぎを与えてくれる。

Die Turmuhr der St. Peterskirche gilt als grösste Europas. Ihr Zifferblatt mit den vergoldeten Ziffern ist von weitem sichtbar.

L'horloge de la tour de la St.-Peterskirche est considérée comme la plus grande d'Europe. Son cadran, aux chiffres dorés, se voit de très loin.

The clock in the tower of the St. Peterskirche is said to be the largest in Europe. The gilded figures on its face can be distinguished at great distance.

L'orologio della torre della St. Peterkirche è considerato il più grande d'Europa. Il suo quadrante dalle cifre dorate è riconoscibile da grande distanza.

El reloj de la torre de la iglesia de San Pedro es considerado el más grande de Europa. Se puede reconocer su esfera con las cifras doradas desde lejos.

ザンクト・ペーター教会の時計塔はヨーロッパ最大で、その金の数字の文字盤はかなり遠くからでも見分けられます。

IN DIESEM HAUSE
WEILTE GOETHE MIT
HERZOG KARL AUGUST
VON WEIMAR BEI
JOH. CASPAR LAVATER
IM JAHR 1779

WEIN
GROSSEN REBLAUBE
H. KAISER.

Kaiser's Reblaube

Zu Füssen der Kirche liegt die idylli-
sche St. Peterhofstatt, umsäumt von
einer malerischen Architektur.

Au pied de l'église, le délicieux St-
Peterhofstatt est entouré d'une architecture typique et riante.

Beside the church, the delightful St.
Peterhofstatt is surrounded by typical
and pleasing architecture.

Ai piedi della Chiesa, la deliziosa St.
Peterhofstatt, è contornata da una tipica e ridente architettura.

Al pie de la Iglesia, el lindo San Peterhofstatt es rodeado de una típica y bo-
nita arquitectura.

教会脇のザンクト・ペーター宮
は典型的な明るい建築様式で包
まれています。

"Schipfe" ist der Name des früheren Schifferquartiers. Ein schmaler, malerischer Bogengang neben dem Fluss führt bis zur Rathausbrücke.

"Schipfe" est le nom du quartier des bateliers. Des arcades étroites et pittoresques, bordant le fleuve, conduisent au Rathausbrücke, endroit très fréquenté par les touristes et les Zurichois.

The boatmen are to be found in the quarter called "Schipfe". A narrow, picturesque archway beside the river leads to the Rathausbrücke, a great attraction for natives and tourists alike.

"Schipfe" è il nome del quartiere dei battellieri. Uno stretto e pittoresco portico affacciato sul fiume conduce fino alla Rathausbrücke, centro di grande attrazione per Zurighesi e turisti.

"Schipfe" es el nombre que lleva el barrio de los barqueros. Un estrecho y pintoresco portal que se abre sobre el río lleva hacia el Rathausbrücke, centro de mucha atracción para los turistas y para los habitantes mismos.

スキッフェは船乗りが集まる場所の名前です。ラザスブルグにつながる川に面した狭い独特なアーケードは、チューリッヒの人々や旅行者のための大アトラクションの中心です。

Auf der Rathausbrücke, auch Gemüsebrücke genannt, beherbergte das kleine Gebäude mit der an einen Tempel erinnernden Fassade einst die Wachmannschaft; die Reproduktion eines alten Stiches aus jener Zeit stellt dies dar.

Sur le Rathausbrücke, appelé aussi "Pont de la verdure" le petit édifice dont la façade ressemble à un temple abritait autrefois le Corps de Garde, comme on peut le voir dans un tableau de l'époque.

On the Rathausbrücke, also known as the "vegetable bridge" there is a little building whose façade is similar to that of a temple. In times gone by it housed the Guard, as illustrated in a painting of that time.

Sulla Rathausbrücke, detto anche "Ponte della verdura" il piccolo edificio con la facciata simile ad un tempio, ospitava nei tempi passati il Corpo di Guardia, come illustrato da un dipinto dell'epoca.

Sobre el Rathausbrücke, llamado también "Puente de la verdura", el pequeño edificio con la fachada parecida a un templo, abrigaba en pasado el Cuerpo de Guardia, así como ilustrado en una pintura de la época.

ラザスブルグの上に架かる「野菜橋」とも呼ばれる正面が寺院に似た小さな建物では、当時の絵に描かれたように、昔は兵士を泊めていました。

Das Reiterdenkmal des Hans Waldmann, Bürgermeister der Stadt in der 2. Hälfte des 15. Jahrhunderts, steht zu Füssen der Fraumünsterkirche.

Le monument équestre de Hans Waldmann, bourgmestre de la ville durant la seconde moitié du 15me siècle, est situé au pied de la Fraumünsterkirche.

The equestrian monument of Hans Waldmann, Bürgermeister of the city in the latter half of the 15th century, is situated beside the Fraumünsterkirche.

Il monumento equestre di Hans Waldmann, borgomastro della città nella seconda metà del 1400, è situato ai piedi della Fraumünsterkirche.

El monumento ecuestre de Hans Waldmann, burgomaestre de la ciudad en la segunda mitad del 1400, se encuentra al pie de la Fraumünsterkirche.

十五世紀の四半世紀、市長を務めたハンス・ワードマンの騎馬像がフラウミュンスター教会の脇に有ります。

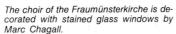

The choir of the Fraumünsterkirche is decorated with stained glass windows by Marc Chagall.

Il coro della Fraumünsterkirche è decorato con vetrate a colori di Marc Chagall.

El coro de la Fraumünsterkirche es decorado por vitrales de Marc Chagall.

フラウミュンスター教会の内陣は、マーク・シャガルのカラーステンドグラスで飾られています。

Der Chor der Fraumünsterkirche ist mit farbigen Glasfenstern von Marc Chagall ausgeschmückt.

La chœur de la Fraumünsterkirche est orné de vitraux colorés, œuvre de Marc Chagall. Au sud de l'église est situé un cloître roman.

Die Fraumünsterkirche wurde an der Stelle errichtet, wo einst ein von Ludwig dem Deutschen erbautes Frauenkloster stand. Neben der Fraumünsterkirche erhebt sich das stattliche Stadthaus, Sitz der Stadtverwaltung.

A côté de la Fraumünsterkirche se dresse un édifice imposant, la Stadthaus, siège de l'Administration Communale. La Fraumünsterkirche fut érigé à l'endroit où se trouvait autrefois un monastère féminin, construit par Ludovic le Germain.

Beside the Fraumünsterkirche is an impressive building, the Stadthaus, the seat of the city administration. The Fraumünsterkirche was built on the side of what was once a convent, built by Ludwig the German.

A fianco della Fraumünsterkirche sorge un imponente edificio, Stadthaus, sede della Amministrazione Comunale. La Fraumünsterkirche fu eretta sul luogo dove una volta sorgeva un monastero femminile, costruito da Ludovico il Germanico.

Al lado de la Fraumünsterkirche hay un grandioso monumento, la Stadthaus, sede de la Administración Comunal. La Fraumünsterkirche se construyó sobre el lugar donde surgía un monasterio para monjas, edificado por Ludovico el Germánico.

フラウミュンスター教会の脇にそびえる壮大な建物スタットハウスは市役所本部です。フラウミュンスター教会は、その昔尼僧院だった場所にルードウィッヒによって建てられたものです。

Nicht weit vom Paradeplatz entfernt, blickt die Stadt auf den Zürichsee. Während der schönen Jahreszeit bringen zahlreiche Schiffe Hunderte von Passagieren zu den verschiedenen, an den Ufern des Sees verstreuten Ausflugszentren.

Au-delà de la Paradeplatz, la ville donne sur le Lac de Zurich. Durant la belle saison, de nombreux bateaux transportent des centaines de passagers pour d'agréables excursions aux différentes localités touristiques disséminées sur les rives du lac.

On the other side of the Paradeplatz, the city overlooks the Lake of Zurich. In summer, boats carry hundreds of passengers on excursions to various tourist spots on the lakeside.

Oltrepassato il Paradeplatz, la città si affaccia sul Lago di Zurigo. Nella bella stagione numerosi battelli trasportano centinaia di passeggeri in amene escursioni ai vari centri turistici disseminati sulle rive del lago.

Más allá de la Paradeplatz, la ciudad se extiende a lo largo de la orilla del lago de Zurich. Durante el verano muchos barcos transportan los pasajeros en lindas excursiones hacia varios centros turísticos de las riberas del lago.

観兵式場の向こうはチューリッヒ湖です。暖かい季節になると、湖岸に散在する観光地への楽しい小旅行をするあまたの乗客を乗せた船がぴんぴんに行きかいます。

Vor dem Landesteg am Ende des Bürkliplatzes erstrahlt die Ganimed-Statue im letzten Schein der untergehenden Sonne. Im Hintergrund die Gebäude entlang des Utoquais. Auf beiden Seiten des Seebeckens, auf dem Boote jeden Typs verankert liegen, bieten ausgedehnte Parkanlagen und Grünzonen die Möglichkeit zu langen Spaziergängen.

En face de l'embarcadère, aux confins de la Bürkliplatz, la statue de Ganymède resplendit sous les derniers rayons du soleil couchant. Au fond, les édifices qui bordent l'Utoquai forment une couronne autour des eaux bleues du lac. De chaque côté de l'eau, où sont ancrées des embarcations de tous types, des parcs luxuriants et des jardins offrent la possibilité de faire de longues promenades.

Opposite the pier, on the edge of the Bürkliplatz, the statue of Ganymede is resplendent in the last rays of the sunset. In the background, the buildings along the Utoquai crown the blue waters of the lake. On all sides of the lake, where all kinds of boats are anchored, there are lush parks and gardens offering the chance to stroll at leisure.

Di fronte all'imbarcadero, ai limiti del Bürkliplatz, la statua di Ganimede risplende sotto gli ultimi raggi di sole al tramonto.
Sullo sfondo, gli edifici lungo l'Utoquai, fanno corona alle azzurre acque del lago. Da una parte e dall'altra dello specchio d'acqua, dove sono ancorate imbarcazioni d'ogni tipo, ricchi parchi e giardini offrono la possibilità di lunghe passeggiate.

Frente el embarcadero, al límite de la Bürkliplatz, la estatua de Ganimedes reluce bajo los últimos rayos del sol a su ocaso. Sobre el fondo los palacios del Utoquai que decoran las limpidas aguas del lago. Las riberas del lago, donde están anclados barcos de todo género, son ricas de parques y jardines que ofrecen la posibilidad de tranquilos y largos paseos.

桟橋の前のビュルクリ広場の境にあるガニュメデスの像（ギリシャ神話）が、夕日の最後の落陽に輝いています。奥に見える長い建物ウートクバイは湖の青い水面を囲っています。さまざまな船が錨を降ろすその水には、あちらからこちらまで公園や庭園が延びて長い散歩道になっているいるのが映っています。

Der Weg am linken Seeufer führt durch den Park des "Arboretum" und schliesslich zum kleinen Hafen Enge und zu dem auf Pfahlwerk erstellten Restaurant. Die Silhouette der Kirche Enge im Glanz des Sonnenunterganges über der Zürcher Seebucht.

La promenade de la rive gauche du lac, qui traverse le parc de l'"Arboretum" conduit au petit port de Enge et au restaurant construit sur pilotis.

The itinerary for the left bank of the lake, passing through the park and the "arboretum" leads to the harbour of Enge and the restaurant built on piles.
The silhouette of the Church of Enge stands out against the background of the bay of the lake at sunset.

L'itinerario della riva sinistra del lago, passando per il parco dell'"Arboretum", conduce fino al porticciuolo Enge ed al ristorante costruito su palafitte. Sullo sfondo della baia del lago al tramonto si staglia la silhouette della chiesa di Enge.

El itinerario de la orilla izquierda del lago, cruzando el parque del "Arboretum", lleva hacia el pequeño puerto de Enge y al restaurante edificado sobre palafitos.

樹木園を通って湖の左岸の道を行くとエンジェの柱廊と湖上のレストランにたどり着きます。

Die erste Brücke über die Limmat, an der Stelle wo sich der See zum Fluss verengt, ist die Quaibrücke, die den Bürkliplatz mit dem Bellevue verbindet. Dicht hinter der Brücke liegt die kleine, künstlich angelegte Insel Bauschänzli.

Le premier pont sur la Limmat, à sa sortie du lac, est le Quaibrücke, qui relie la Bürkliplatz et la Bellevueplatz. Tout de suite derrière le pont se trouve la petite île artificielle Bauschänzli, autrefois ouvrage de défense militaire de la ville.

The first bridge across the Limmat, leaving the lake, is the Quaibrücke, which connects Bürkliplatz and Bellevueplatz. Just behind the bridge is Bauschänzli, an artificial island once used for the military defence of the city.

Il primo ponte sulla Limmat, alla sua uscita dal lago, è la Quaibrücke, che unisce il Bürkliplatz e il Bellevueplatz. Subito dietro il ponte si trova l'isoletta artificiale Bauschänzli, un tempo opera di difesa militare della città.

El primer puente de la Limmat, a su desembocar en el lago, es el Quaibrücke, que reúne la Bürkliplatz y la Bellevueplatz. Detrás del puente surge la pequeña isla artificial Bauschänzli, que representaba hace tiempo una obra de defensa militar de la ciudad.

湖へ流れるリマト川の第一番目の橋クバイ橋は、ビュルクリ地区とベレヴュー地区を結んでいます。橋のすぐ後ろには、昔軍隊が町を守るために造った人工の島バウヒャンジルがあります。

Von der Quaibrücke bietet sich ein typischer Ausblick auf einige der grossen Baudenkmäler der Stadt: Fraumünsterkirche, St. Peterskirche, Rathaus, Wasserkirche und Grossmünster. Wie uns die Reproduktion eines alten Stiches unten zeigt, hat sich, aus diesem Blickwinkel gesehen, das Aussehen der Stadt nicht sehr verändert.

Du Quaibrücke, on jouit d'une vue typique sur quelques-uns des monuments principaux de la ville: la Fraumünsterkirche, la Peterskirche, la Rathaus, la Wasserkirche et le Grossmünster. L'aspect de la ville n'a pas fort changé par rapport à ce que nous montre la reproduction en bas.

From the Quaibrücke one has a typical view of the main points of interest in the city; the Fraumünsterkirche, the St. Peterskirche, the Rathaus, the Wasserkirche and the Grossmünster. The view of the city has not changed much with respect to how it is seen in the reproduction below.

Dalla Quaibrücke si offre una tipica veduta che mostra alcuni dei maggiori monumenti della città: Fraumünsterkirche, Peterskirche, Rathaus, Wasserkirche e Grossmünster. L'aspetto della città non è cambiato di molto rispetto a quanto ci mostra la riproduzione in basso.

Desde el Quaibrücke una típica vista de los mayores monumentos de la ciudad: la Fraumünsterkirche, la Peterskirche, la Rathaus, la Wasserkirche y el Grossmünster. El aspecto de la ciudad no ha cambiado mucho respecto a lo que muestra la reproducción abajo.

クバイ橋から町の主だった建物（フラウミュンスター教会、ペーター教会、市役所、バッサー教会、大寺院）が見える独特な眺めを提供してくれる。町の外観は、後世の複製が示すように大変注意が払われ、何も変っていません。

Auf dem Bürkliplatz neben der Quaibrücke, fällt der weisse, mächtige Geiserbrunnen auf.

Sur la Bürkliplatz, aux environs du Quaibrücke, la silhouette blanche et massive de la Geiserbrunnen se découpe sur le feuillage du parc environnant.

On the Bürkliplatz near the Quaibrücke, the white and majestic figure of the Geiserbrunnen stands out in contrast to the green park.

En la Bürkliplatz, cerca del Quaibrücke en el medio de un parque, destaca la blanca y grandiosa imagen de la Geiserbrunnen.

Sul Bürkliplatz, nei pressi della Quaibrücke, fa spicco tra il verde del parco circostante la bianca e possente figura del Geiserbrunnen.

クバイ橋の近くのブルクリプラツ広場には緑に囲まれた白くて壮大なガイッセルブルンネンが目立ってる。

Nicht weit vom Bellevue entfernt, vor dem Sechseläutenplatz, erhebt sich das Opernhaus, ein bedeutendes Zentrum des kulturellen Lebens der Stadt Zürich. Entlang des Hauptgesimses der Fassade stellen grosse Statuengruppen symbolisch die in diesem berühmten Theater gefeierten Künste dar.

Aux environs de la Bellevueplatz, devant le parc de la Sechseläutenplatz, se dresse le Théâtre de l'Opéra, qui occupe une place de premier plan dans la vie culturelle de Zurich. Le long de la corniche de la façade, de grands groupes statuaires symbolisent les arts qui sont représentés dans cet illustre Théâtre.

Near the Bellevueplatz, in front of the park of Sechseläutenplatz, is the Opera, the centre of Zurich's cultural life. Along the cornices of its façade great groups of statues symbolise the arts celebrated in this famous theatre.

Cerca de la Bellevueplatz, frente el parque de la Sechseläutenplatz, se encuentra el Palacio de la Opera, centro más significativo de la vida cultural de Zurich. Sobre el coronamiento de la fachada imponentes grupos de estatuas representan las Artes celebradas en este famoso teatro.

Nei pressi del Bellevue, davanti Sechseläutenplatz si erge il Palazz dell'Opera, centro primario della vi culturale di Zurigo. Lungo il cornici ne della facciata grandi gruppi statua simboleggiano le arti celebrate in qu sto rinomato teatro.

ベレビュープラツ広場の辺り、クセンロイテンプラツ広場の公前に、チューリッヒの文化活動ンターでオペラ座が建っている正面の軒にそって、この有名な場で上演される芸術を表した大な群像が立っています。

In den ersten Lichtern des Abends spiegeln sich die Umrisse des Stadthauses, der Fraumünsterkirche, des Zunfthauses "zur Meisen" und der St. Peterskirche im Wasser der Limmat.

Aux premières lueurs du crépuscule, les silhouettes de la Stadthaus, du Fraumünster, de la Maison de la Corporation "Zur Meisen" et de la Peterskirche, se reflètent dans les eaux de la Limmat.

The silhouettes of the Stadthaus, the Fraumünster, the "Zur Meisen" Corporation building and the St. Peterskirche are reflected in the waters of the Limmat in the early evening light.

Nelle prime luci della sera si rispecchiano nelle acque della Limmat le silhouettes del Stadthaus, del Fraumünster, del palazzo della corporazione ''Zur Meisen'', della Peterskirche.

Al atardecer, se reflejan en las aguas de la Limmat las siluetas de la Stadthaus, de la Fraumünsterkirche, del Palacio del Gremio ''Zur
Meisen'', de la Peterskirche.

たそがれ時にリマト川の水面に映されるシ
ュタットハウス、フラウミュンスター教会、
「ツー・マイゼン」というギルドの建物、
ザンクトペーター教会のシルエット。

Die Wasserkirche stand in alten Zeiten auf einem Inselchen; heute gehört sie zum Festland. Es ist die Stätte des Martyriums der Zürcher Schutzheiligen Felix und Regula. Hinter der Apsis steht die Statue Ulrich Zwinglis, der im Jahr 1519 sein Reformationsprogramm verkündete.

La Wasserkirche se dressait autrefois sur un îlot, incorporé aujourd'hui à la terre ferme. Il fut le lieu du martyre des Saints Félix et Régula, patrons de la ville. Derrière l'abside est placée la statue d'Ulrich Zwingli qui, en 1519, proclama un Programme de Réforme qui provoqua un conflit avec les cantons catholiques.

In ancient times the Wasserkirche was situated on an island, which is now incorporated on dry land; it was the site of the martyrdom of St. Felix and St. Regula, the city's patron saints. Behind the apse is a statue of Ulrich Zwingli who, in 1519, proclaimed a Programme of Reforms which led to clashes with

La Wasserkirche sorgeva anticamente su di un isolotto, oggi incorporato nella terraferma, luogo del martirio dei Santi Felix e Regula patroni della città. Dietro l'abside è situata la statua di Ulrich Zwingli, il quale, nel 1519, proclamò un suo Programma di Riforma, che portò Zurigo allo scontro con i cantoni

La Wasserkirche surgía antes sobre una pequeña isla hoy en día reunida a la tierra firme, lugar del martirio de los santos Felix y Regula, patronos de la ciudad. Detrás del ábside está colocada la estatua de Ulrich Zwingli, que, en 1519, promulgó su Programa de Reforma, que llevó al choque con los canto-

現在陸続きになっているが、昔島だった所に町の守護聖人フェリクスとレグラの殉教の場所にパッサー教会が建てられている。教会の後ろにウルリヒ・ツィングリの像がたっている。

So bot sich die Münsterbrücke den Augen der einstigen Zürcher dar. Noch heute beherrschen die Türme des Grossmünsters die Limmat und die umliegende Szenerie. Auf dem Südturm thront eine Kopie der Statue Karls des Grossen.

C'est ainsi que se présentait autrefois le Münsterbrücke aux yeux des Zurichois. Aujourd'hui encore, les tours du Grossmünster dominent la Limmat et le paysage environnant. Sur la Tour Sud trône la statue assise de Charlemagne qui fonda le monastère sur lequel fut érigée la Cathédrale.

This is how the Münsterbrücke looked to the eyes of the ancient citizens of Zurich. The towers of the Grossmünster dominate the Limmat and the surrounding scenery even today. Enthroned on the South tower is the statue of Charlemagne who founded the monastery on whose site the cathedral was built.

Così si presentava la Münsterbrücke agli occhi degli antichi Zurighesi. Ancor oggi le torri del Grossmünster dominano la Limmat e lo scenario circostante. Sulla Torre Sud troneggia la statua seduta di Carlomagno, il quale fondò il monastero sul quale fu eretta la Cattedrale.

Así como aparecía el Münsterbrücke a los ojos de los antiguos habitantes de Zurich. Aún hoy en día las torres del Grossmünster dominan la Limmat y el escenario cercano. Sobre la Torre Sur domina la estatua de Carlo Magno, que fundó el monasterio sobre el cual se edificó después la Catedral.

「ミュンスターブリュック」はこうして昔のチューリッヒの人々の前に現れました。今でも大寺院の塔はリマト川とその一帯を支配しています。南の塔で際立つシャルル大帝の座像は修道院だった場所に立てられた大聖堂です。

Das im 12. und 13. Jahrhundert erbaute Grossmünster ist ein beeindruckendes romanisches Bauwerk. Der Überlieferung zufolge, wurde es über den Gräbern der Stadtheiligen Felix und Regula errichtet.

Le Grossmünster, construit du XIIme au XIIIme siècle, est l'édifice roman le plus imposant de Suisse. Selon la tradition, il aurait été érigé sur les tombes des Saints Félix et Régula. Les tours jumelles, qui se reflètent dans le eaux de la Limmat, sont l'objet de l'admiration de nombreux touristes qui passent à bord des bateaux ''sight-seeing'' de la ville.

The Grossmünster, built between the 12th and the 13th centuries, is the most impressive Roman structure in Switzerland. Tradition has it that it was erected on the tombs of Saints Felix and Regula. The twin towers, facing the Limmat, are much admired by the numerous tourists who pass on the sight-seeing boats.

Il Grossmünster, costruito dall'XII al XIII secolo, è la più imponente struttura romanica della Svizzera. Secondo la tradizione, esso fu eretto sulle tombe dei Santi Felix e Regula. Le torri gemelle, affacciate sulle acque della Limmat sono oggetto di ammirazione dei numerosi turisti che passano a bordo dei battelli ''sightseeing'' della città.

El Grossmünster que remonta a los siglos XII-XIII, es la más importante estructura románica de la Suiza. Según la tradición, fue construido sobre las tumbas de los santos Felix y Regula. Las torres hermanas, cerca de la Limmat, rellenan de admiración a los turistas que dan la vuelta a la ciudad sobre los barcos ''sight-seeing''.

十一〜十二世紀に建てられた大寺院は、スイスのロマネスク様式の中で最も重要なものです。双子の聖フェリクスと聖レグラの墓の上に建てられたと言われています。リマト川に面しているので町の「サイト・シーイング」の船に乗った多くの観光客を感嘆させています。

Das Grossmünster ist reich an Kunstwerken und interessanten architektonischen Details der verschiedensten Epochen. Die modernen Glasfenster sind Werke des Künstlers Augusto Giacometti, der sie 1932 entwarf.

Le Grossmünster est riche en œuvres d'art et en détails architecturaux intéressants, datant des époques les plus diverses. Les vitraux modernes sont l'œuvre de l'artiste Augusto Giacometti, qui les exécuta en 1932.

The Grossmünster has a wealth of art works and interesting architectural details from a variety of periods. The modern windows were the work of Augusto Giacometti in 1932.

Il Grossmünster è ricco di opere d'arte e di interessanti particolari architettonici delle epoche più diverse. Le moderne vetrate sono opera dell'artista Augusto Giacometti che le realizzò nel 1932.

El Grossmünster posee numerosas obras de arte e interesantes particulares arquitectónicos que remontan a épocas distintas. Los vitrales modernos son obras del artista Augusto Giacometti que les realizó en el 1932.

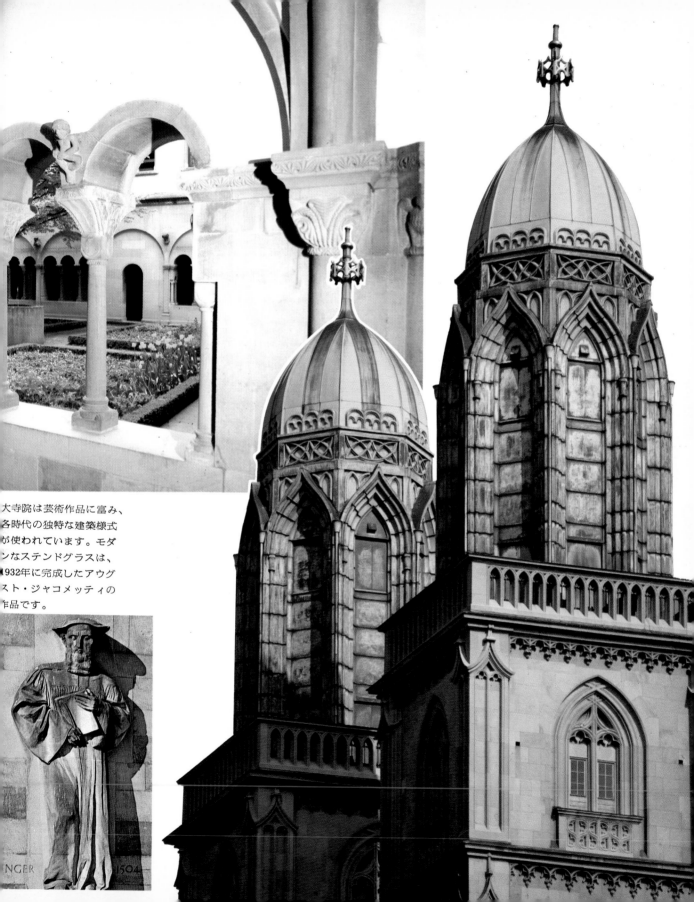

大寺院は芸術作品に富み、
各時代の独特な建築様式
が使われています。モダ
ンなステンドグラスは、
1932年に完成したアウグ
スト・ジャコメッティの
作品です。

NGER   1504

In der Geschichte Zürichs spielten die Zünfte eine grosse Rolle. Noch heute befinden sich die Sitze einiger dieser Zünfte am rechten Limmatufer: Zunfthaus zur Saffran, zur Haue (Trinkstube der Zunft zum Kämbel), Haus zum Büchsenstein, Haus zur Käshütte, Haus zur Kerze, Gesellschaftshaus zum Rüden (Sitz der Gesellschaft zu Constaffel), Zunfthaus zur Zimmerleuten, Wettingerhäuser.

Les Corporations occupèrent une très grande place dans l'histoire de Zurich. Les maisons de certaines d'entre elles se dressent le long de la rive droite de la Limmat: ''Zur Saffran'', ''Zur Haue'', ''Zum Kämbel'', ''Zum Buchsenstein'', ''Zur Käshütte'', ''Zur Kerze'', ''Zum Rüden'', ''Zur Zimmerleuten'', ''Wettingerhaus''.

The Guilds played a very important role in Zurich's history; the head offices of some of these Guilds overlook the right bank of the Limmat: ''Zur Saffran'', ''Zur Haue'', ''Zum Kämbel'', ''Zum Büchsenstein'', ''Zur Käshütte'', ''Zur Kerze'', ''Zum Rüden'', ''Zur Zimmerleuten'', ''Wettingerhaus''.

Nella storia di Zurigo grande importanza rivestirono le Corporazioni, le sedi di alcune delle quali sono affacciate sulla riva destra della Limmat: ''Zur Saffran'', ''Zur Haue'', ''Zum Kämbel'', ''Zum Buchsenstein'', ''Zur Käshütte'', ''Zur Kerze'', ''Zum Rüden'', ''Zur Zimmerleuten'', ''Wettingerhaus''.

Los gremios desenvolvieron un importante papel en la historia de la ciudad; las sedes de unas corporaciones se encuentran en la orilla derecha de la Limmat: ''Zur Käshütte'', ''Zur Saffran'', ''Zur Haue'', ''Zum Kämbel'', ''Zum Buchsenstein'', ''Zur Kerze'', ''Zum Rüden'', ''Zur Zimmerleuten'', ''Wettingerhaus''.

チューリッヒの歴史の中で重要な役割りを果たしているのが商人組合ギルドです。リマト川右岸にその本部がいくつか並んでいます。「ツァ・ザフラン」「ツァ・ハウエ」「ツム・ケンベル」「ツム・ブケセンスタイン」「ツァケシュッテ」「ツァ・ケルゼ」「ツム・リューデン」「ツァ・ツィンメルロイテン」「ベッティンゲルハウス」「グロッムンスター」。そこでは大衆品が政府からまかされ、同時に組織や軍事活動のための兵役や手段を講じています。ギルドは昔は十二でしたが、今日のものは近世に十四追加されています。

Ein venezianisch anmutender Winkel fügt sich harmonisch in das unverwechselbare Szenarium des Limmatquais. Unter den Laubengängen bieten eine grosse Zahl von Lokalen und Geschäften den Besuchern Waren verschiedenster Art an.

Ce coin genre "Venise" s'insère parfaitement dans le décor incomparable du Limmatquai, avec les maisons des Corporations et le Grossmünster. Sous les arcades, de nombreux magasins et établissements publics offrent aux visiteurs toutes sortes de marchandises et de divertissements.

A "Venetian" corner has been perfectly inserted in the midst of the unique Limmatquai with the head offices of the Guilds and the Grossmünster. Beneath the arches, numerous shops and stalls offer the visitor every kind of goods and entertainment.

Un angolo tipo "Venezia" si inserisce alla perfezione nello scenario inconfondibile del Limmatquai con le sedi delle Corporazioni ed il Grossmünster. Sotto i portici numerosi locali e negozi offrono ai visitatori ogni sorta di merci ed intrattenimento.

Un sugestivo ángulo "tipo Venecia" se inserta perfecto en el escenario inconfundible del Limmatquai con las sedes de las Corporaciones y el Grossmünster. Bajo los pórticos numerosas tiendas y sitios ofrecen al visitador cada género de artículo y de entretenimiento.

リマト橋からはっきり区別して見えるベネツィアン様式の建物は、ギルド本部と大寺院です。アーケード内の商店街では観光客向けにいろいろな商品が売られています。

Der goldene Löwe mit dem Stadtwappen ist am Eingangstor des Rathauses angebracht, einem Gebäude im Renaissancestil, das in der Zeit von 1694-1698 gebaut wurde. Das Innere ist reich im Barockstil dekoriert.

Le lion d'or avec l'emblème de la ville est placé sur le portail d'entrée de la Rathaus, un édifice Renaissance construit en 1694-1698. L'intérieur, en style baroque, est richement décoré.

The Golden Lion with the city's coat-of-arm is placed above the entrance to the Rathaus, a renaissance building built from 1694-1698. The interior is richly decorated in the baroque style.

Il leone d'oro con lo stemma della città è situato sul portale d'ingresso del Rathaus, un edificio rinascimentale costruito nel 1694-1698. L'interno è riccamente decorato in stile barocco.

El león de oro con el emblema de la ciudad está colocado en el portal de ingreso del Rathaus, un edificio de estilo renacimiento construido en el 1694-1698. El interior es muy ricamente decorado en estilo barroco.

市の紋章になっている金のライオンが、1694年から1698年に建てられたルネッサンス建築ラッハウスの正面入口に置かれています。内部はバロック様式でふんだんに飾られています。

Auf dem Weinplatz, gegenüber dem Rathaus, steht der zierliche Brunnen aus reich strukturiertem Eisen.

Sur la Weinplatz, en face de la Rathaus, la gracieuse fontaine en fer forgé ouvragé.

On the Weinplatz opposite the Rathaus is a graceful fountain with a rich structure in wrought iron.

Sul Weinplatz, opposta al Rathaus, la graziosa fontana dalla ricca struttura in ferro battuto.

En la Weinplatz, frente a la Rathaus, la hermosa fuente con su rica estructura en hierro forjado.

市役所ラッハウスの反対側のワインプラツには鍛鉄で構成された優雅な噴水があります。

Der alte Stadtteil Niederdorf, Sitz der kunstgewerblichen Läden und Aktivitäten, ist das bevorzugte Vergnügungsviertel der Zürcher. Aussenfresken und kunstvolle Schilder fügen der reichen Architektur der Altstadt eine charakteristische Note hinzu.

Le vieux quartier de Niederdorf, autrefois siège des boutiques et des activités artisanales, est devenu aujourd'hui le quartier des divertissements préféré des Zurichois. Les fresques peintes sur les murs des maisons et les enseignes artistiques ajoutent une note caractéristique à l'architecture typique de la vieille ville.

The ancient quarter of Niederdorf where there were once boutiques and craft activities, is nowadays the preferred place of entertainment for the townspeople. External frescoes and artistic shop signs add a characteristic flavour to the architecture of the old city.

L'antico quartiere Niederdorf, un tempo sede delle botteghe e delle attività artigianali, è oggi il luogo dei divertimenti preferito dagli Zurighesi. Affreschi esterni ed artistiche insegne aggiungono una nota caratteristica alla ricca architettura della città vecchia.

El antiguo barrio de Niederdorf, en los tiempos pasados sede de tiendas y de las actividades de la artesanía, es hoy en día el lugar de los divertimientos más queridos por los habitantes de Zurich. Las pinturas y las artísticas insignias añaden una nota particular a la típica arquitectura del barrio antiguo.

むかし商工業活動の本部だったニューデルドルフの古いたたずまいは、今日、チューリッヒの人々の愛する娯楽地帯になっています。外壁のフレスコ画と芸術的な看板がオールドタウンの独特な建築を引き立てています。

Im Hintergrund des Neumarkts steht ein mittelalterlicher Wohnturm, der im 13. Jahrhundert erbaute Grimmenturm.

Le caractéristique Neumarkt avec, au fond, une maison-tour médiévale encore en usage aujourd'hui. Les vieilles fontaines, dont les sommets sont ornés de sculptures typiques, fonctionnent encore elles aussi.

The characteristic Neumarkt has, in the background, a medieval tower which is still in use today. The old fountains with typical sculptures on top are also still functioning.

Il caratteristico Neumarkt presenta sullo sfondo una torre-abitazione medioevale ancora oggi in uso, così come ancora funzionanti sono le vecchie fontane con le tipiche sculture poste sulla loro cima.

El característico Neumarkt presenta sobre el fondo una torre-habitación medioeval todavia empleada, así como las viejas fuentes con sus típicas esculturas colocadas en sus cumbres.

ノイマルクという個性的な市場の後ろの中世の塔が住宅として使われています。そして、上に古い彫刻のある古い噴水も今だに作動しています。

Im kulturellen Leben der Stadt spielt das Kunsthaus eine grosse Rolle; in ihm sind umfangreiche Sammlungen alter und moderner Kunstwerke untergebracht.

La Kunsthaus joue un rôle important dans la vie culturelle de la ville. Une très riche collection d'œuvres d'art, aussi bien anciennes que modernes, y est conservée. D'importantes expositions y sont organisées périodiquement.

The Kunsthaus plays a big role in the cultural life of the city. It houses an important collection of ancient and modern works of art. Important exhibitions are held regularly.

Nella vita culturale della città gioca un grosso ruolo il Kunsthaus, dove è custodita una ricchissima raccolta di opere d'arte sia antiche che moderne. Vi si tengono periodicamente importanti mostre ed esposizioni.

La Kunsthaus desempeña un importante papel en la vida cultural de la ciudad; allí está expuesta una rica colección de obras de arte sea antiguas sea modernas. Periódicamente tienen lugar importantes muestras y exposiciones.

古今を問わず、芸術作品を豊富に集めたクンスハウスは、町の文化活動に大いに貢献しています。そこでは定期的に展示会や展覧会が開かれています。プルティゲルキルシュの国立文書館の張出した入口の上に、町出身の芸術家であり文学者だったサルモン・ゲスナーの像が立っています。

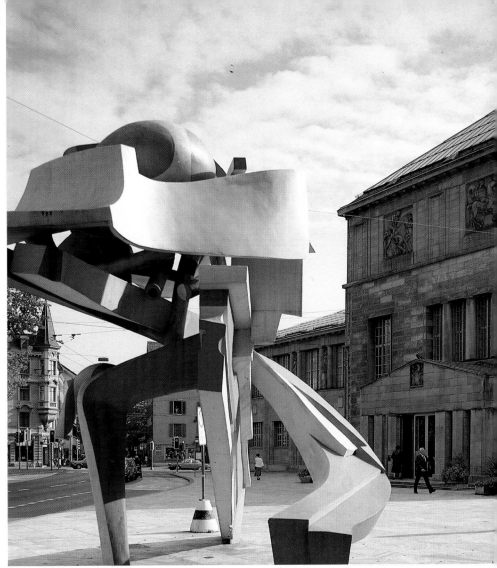

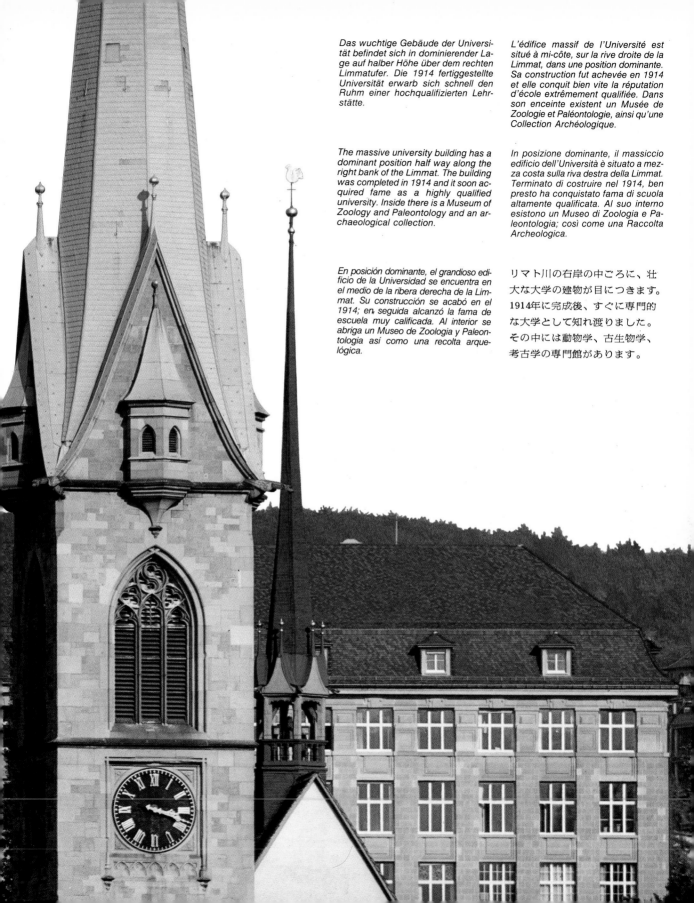

Das wuchtige Gebäude der Universität befindet sich in dominierender Lage auf halber Höhe über dem rechten Limmatufer. Die 1914 fertiggestellte Universität erwarb sich schnell den Ruhm einer hochqualifizierten Lehrstätte.

The massive university building has a dominant position half way along the right bank of the Limmat. The building was completed in 1914 and it soon acquired fame as a highly qualified university. Inside there is a Museum of Zoology and Paleontology and an archaeological collection.

En posición dominante, el grandioso edificio de la Universidad se encuentra en el medio de la ribera derecha de la Limmat. Su construcción se acabó en el 1914; en seguida alcanzó la fama de escuela muy calificada. Al interior se abriga un Museo de Zoologia y Paleontologia así como una recolta arqueológica.

L'édifice massif de l'Université est situé à mi-côte, sur la rive droite de la Limmat, dans une position dominante. Sa construction fut achevée en 1914 et elle conquit bien vite la réputation d'école extrêmement qualifiée. Dans son enceinte existent un Musée de Zoologie et Paléontologie, ainsi qu'une Collection Archéologique.

In posizione dominante, il massiccio edificio dell'Università è situato a mezza costa sulla riva destra della Limmat. Terminato di costruire nel 1914, ben presto ha conquistato fama di scuola altamente qualificata. Al suo interno esistono un Museo di Zoologia e Paleontologia; così come una Raccolta Archeologica.

リマト川の右岸の中ごろに、壮大な大学の建物が目につきます。1914年に完成後、すぐに専門的な大学として知れ渡りました。その中には動物学、古生物学、考古学の専門館があります。

So präsentiert sich der untere Limmatquai vom romantischen Ufer der Schipfe aus.

From the romantic bank of the "Schipfe" one can see the lower Limmatquai.

Desde la romántica ribera de la "Schipfe" así se presenta el Limmatquai inferior.

De la rive romantique de la "Schipfe" on jouit de cette vue sur le Limmatquai inférieur.

Dalla romantica riva della "Schipfe" così si presenta il Limmatquai inferiore.

「シップフェ」のロマンチックな岸から見たリマト桟橋。

A côté de l'Université, en face d'une vaste terrasse offrant une vue splendide sur la ville, se dresse l'édifice monumental de la "Eidgenössische Technische Hochschule" appelée plus simplement "Ecole Polytechnique". Construite en 1860, elle est l'une des institutions fondamentales de la ville et jouit d'une réputation mondiale vu l'excellente spécialisation de ses cours académiques.

Next to the University building, fronted by a vast terrace with a beautiful view of the city, is the monumental structure of the "Eidgenössische Technische Hochschule" more briefly, Polytechnic. Built in 1860, it is one of the city's prime institutions, and enjoys a world wide reputation for the great specialization of its academic courses.

Accanto all'edificio dell'Università, fronteggiato da una vasta terrazza con splendida vista sulla città, si erge la monumentale struttura dell'"Eidgenössische Technische Hochschule", più brevemente indicata come "Politecnico". Costruita nel 1860, essa è una delle istituzioni fondamentali della città, godendo di reputazione mondiale per l'alta specializzazione dei suoi corsi accademici.

Cerca de la Universidad, con en frente una larga terraza y una espléndida vista de la ciudad, surge la imponente estructura de la "Eidgenössische Techniche Hochschule", llamada con el nombre más corto de "Politécnico". Edificado en el 1860, representa una de las instituciones fundamentales de la ciudad, ya que goza de fama mundial gracias a la alta especialización de sus cursos académicos.

大学の隣りに、町の景観が楽しめる見晴らし台のあるスイスの国立理工科大学があります。これは1860年に建てられた町で最も重要な機関の一つです。その専門的教育で世界中に知られています。

Die Stadt liegt am unteren Becken des Sees, der ihren Namen trägt. Der aus der Eiszeit stammende Zürichsee hat eine Fläche von 89 km² und eine maximale Tiefe von 143 m. Die dicht bevölkerten Ufer sind mit Gärten, Grünanlagen und Weinbergen durchsetzt.

La ville s'étale autour du lac qui porte le même nom. D'origine glaciaire, le Lac de Zurich a une superficie de 89 km² et une profondeur maximum de 143 mètres. Il baigne les Cantons de Zurich, Schwyz et Saint-Gall. Les rives, très peuplées, sont parsemées de potagers, jardins et vignes. Des fermes pittoresques apparaissent cà et là. L'émissaire du lac, la Limmat, après avoir traversé Zurich, se jette dans l'Aare.

The city crowns the lake bearing the same name. The Lake of Zurich is of glacial origin and has a surface of 89 km² and a maximum depth of 143 m. The cantons of Zurich, Schwytz and S. Gallen surround it. The densely populated banks are dotted with fields, gardens and vineyards. Every so often, there are pretty farms.

La città fa corona al lago che porta il suo stesso nome. Di origine glaciale, il Lago di Zurigo ha una superficie di kmq 89 ed una profondità massima di m. 143. Esso bagna i Cantoni di Zurigo, Svitto e San Gallo. Le rive densamente popolate sono punteggiate di orti, giardini e vigneti. Quà e là sorgono pittoresche fattorie.

La ciudad rodea el lago que lleva el mismo nombre. Tiene origen glacial, una extensión de 89 km² y una profundidad máxima de 143 m. Este lago baña los cantones de Zurich, Schwytz y San Galo. Las riberas son muy popladas y enriquecidas por huertas, jardines y viñas. Surgen también pintorescas fincas agrícolas. El emisario del lago, la Limmat, una vez cruzado Zurich, desemboca en el río Aare.

湖と同じ名前のこの町が湖を取り巻いています。氷河が作ったチューリッヒ湖は89平方キロ米、深さ143米で、チューリッヒ州とシュイツ州とザンクトガッレン州にまたがっています。湖畔は人口密度が高く、畑や庭やブドウ畑が点在し、あちこちにかわいい農家が見えます。湖に流れこんだリマト川はチューリッヒを通ってアーレ川になります。

Der Uetliberg ist Zürichs "Hausberg". Er ist mit seinen 870 m ü.d.M. zugleich der höchste Punkt. Vom Gipfel aus, dem Uto Kulm, geniesst man einen grandiosen Blick auf die Stadt und den ganzen See. Während der Zeit der Herbstnebel kann man Rundblicke von eindrucksvoller Schönheit erleben. Auf den Uetliberg gelangt man entweder zu Fuss oder mit einer bequemen Bahn. Der Berg ist das Naherholungsgebiet der Zürcher.

L'Uetliberg est la "montagne" de Zurich, étant le point le plus élevé, à 870 m. au-dessus du niveau de la mer. Du sommet, l'Uto Kulm, on jouit d'une vue spectaculaire sur la ville et sur le lac tout entier. But favori des promenades et des excursions, on l'atteint soit à pied, soit au moyen du chemin de fer de la Uetlibergbahn. Un téléphérique et une autre ligne de chemin de fer, la Sihltalbahn, permettent d'exécuter un parcours circulaire de longue haleine et très intéressant. Du sommet de la montagne, on peut admirer des panoramas d'une grande beauté, même pendant la période des brouillard d'automne.

Uetliberg is Zurich's mountain, being also its highest point at 870 m above sea level. From the summit, Uto Kulm, there is a spectacular view of the city and the whole Lake. It is a favourite place for excursions and walks and may be reached on foot, or by rail with the Uetlibergbahn. A cable car and a further railway "Sihltalbahn" allow one to make a very refreshing and interesting tour. From the summit there are beautiful panoramas even during the period of autumnal mists.

Lo Uetliberg è la "montagna" di Zurigo, essendone anche il punto più alto a quota m. 870 sul mare. Dalla cima, l'Uto Kulm, si gode una vista spettacolare sulla città e su tutto il lago. Luogo prediletto per escursioni e passeggiate, è raggiungibile, oltrechè a piedi anche attraverso una comoda Ferrovia. Una funivia e la ulteriore ferrovia "Sihltal bahn" permettono di eseguire un percorso circolare di grande respiro ed interesse. Dalla cima del monte si possono osservare panorami di suggestiva bellezza anche durante il periodo delle nebbie autunnali.

El Uetliberg constituye "el monte" de Zurich, siendo el punto más alto a 870 m. Desde la cumbre, el Uto Kulm, se goza un panorama grandioso de la ciudad y del lago. Lugar muy recorrido para excursiones y paseos, se alcanza, además que andando, por medio del confortable Ferrocarril de la Uetlibergbahn. Un funicular y otro ferrocaril -Sihltbahn- permiten seguir un itinerario circular muy largo e interesante. Desde la cumbre del monte se pueden admirar panoramas de sugestiva hermosura incluso durante el periodo de la nieblas del otoño.

高さ 870 米のウトリベルグはチューリッヒ山と呼ばれる町で一番高い場所です。頂上のウトクルムからは町と湖の全景が楽しめます。散歩・散策には絶好で、徒歩でもウトリベルグバーン鉄道でも行かれます。その上、ロープウエーともう一つの鉄道ズィタバーンが周囲をゆっくり楽しみながら走っています。山の頂からは、秋の霞の中からでも魅力的で素晴らしいパノラマが楽しめます。

Der Zürcher Zoo gehört zu den berühmtesten Europas. Seine Anlage und seine Vielfalt lassen den Besuch zu einem interessanten Erlebnis werden.

Le zoo de Zurich est l'un des plus célèbres d'Europe. Sa disposition particulière en rend la visite fort intéressante.

Zurich's Zoo is one of the most famous in Europe. Its particular layout makes the visit very interesting.

Lo Zoo di Zurigo è uno dei più famosi d'Europa. La sua particolare disposizione ne rende la visita molto interessante.

El Jardín zoológico de Zurich es uno de los más famosos de Europa. La visita llega a ser muy interesante también para su particular disposición.

チューリッヒ動物園はヨーロッパ有数の動物園です。その独特な配置が人々を大いに楽しませてくれます。

Der interkontinentale Flughafen Zürich-Kloten ist ein wichtiger Knotenpunkt im internationalen Flugverkehr. Er ist mit den modernsten Anlagen ausgestattet. Die schweizerische Fluggesellschaft Swissair ist wegen ihrer Pünktlichkeit und Leistungsfähigkeit ausserordentlich geschätzt.

L'Aéroport International de Kloten est l'un des carrefours aériens les plus importants d'Europe. La compagnie aérienne Suisse est fort appréciée pour sa ponctualité et son efficacité. Son réseau commercial couvre pratiquement le monde entier. L'Aéroport de Kloten est doté des équipements les plus modernes qui répondent aux exigences du trafic aérien actuel.

The international airport of Kloten is one of the major air links in Europe. The Swiss airline enjoys a good reputation for its punctuality and efficiency, and covers practically the whole world. Kloten is provided with the most up-to-date equipment to fulfil every need of modern air traffic.

L'Aereoporto Internazionale di Kloten è uno dei maggiori nodi aerei di tutta Europa. La compagnia di bandiera svizzera Swissair gode della massima considerazione per la sua puntualità ed efficienza. La sua rete commerciale copre praticamente tutto il mondo. L'aereoporto di Kloten è fornito dei più attuali impianti per ogni esigenza del moderno traffico aereo.

Su Aeropuerto internacional, Kloten, es uno de los más importantes de Europa. La Compañia nacional goza de larga consideración para su puntualidad y eficiencia. Su red comercial llega prácticamente en todo el mundo. El aeropuerto de Kloten posee las más modernas instalaciones que pueden satisfacer cada exigencia del moderno tráfico aéreo.

クロテン国際空港は全ヨーロッパを結ぶ飛行機で賑っています。実際、航空網は世界中と結ばれており、クロテン空港では新運行及びあらゆる要求に応じた最新設備が備えられています。

Von den Möglichkeiten, Zürich kennen zu lernen, ist die Stadtrundfahrt in einem alten Strassenbahnwagen eine empfehlenswerte Variante.

Parmi les nombreux attraits qu'offre Zurich, l'un des plus sympathiques est sans aucun doute le tour de la ville à bord d'une vieille voiture de tramway.

Among the numerous amenities which Zurich has to offer, one of the nicest is the tour of the city on board an old tram carriage.

Tra le numerose amenità offerte da Zurigo, una delle più simpatiche è il giro turistico della città a bordo di una antica carrozza tramviaria.

Entre las numerosas y lindas posibilidades que Zurich ofrece, una de las más preciosas queda dar la vuelta a la ciudad por medio de un antiguo coche del tranvía.

チューリッヒの楽しみの一つ、古い市電での市内観光ツアー。

Um das Nahen des Frühlings zu feiern, veranstalten die alten und neuen Zünfte zu Beginn der dritten Aprilwoche einen farbenprächtigen Umzug, der durch die Strassen des Stadtzentrums zum Sechseläutenplatz zieht. Hier wird in einer heiteren Stimmung der Böög, Sinnbild des Winters, verbrannt.

Pour célébrer l'arrivée du printemps, les anciennes et les nouvelles Corporations organisent, au début de la troisième semaine d'Avril, un étincelant cortège costumé qui, après avoir défilé dans les rues du centre, arrive à la place Sechseläuten.
Là, dans une ambiance gaie et bruyante, un fantoche, le Böög, symbole de l'hiver, est brûlé.

At the beginning of the third week in April, to celebrate the advent of spring, the old and new Guilds organize a parade in costume, which passes through the centre and arrives in Sechsenläuten square. Here amidst much noise and gaiety a guy, the Böög, symbol of winter, is burned.

Per celebrare l'avvento della Primavera le antiche e nuove Corporazioni danno luogo, all'inizio della terza settimana di Aprile, ad uno scintillante corteo in costume che, dopo aver sfilato per le vie del centro, arriva alla Piazza Sechseläuten. Qui, in una gaia e rumorosa atmosfera, viene bruciato un fantoccio, il Böög, simbolo dell'inverno.

Para celebrar la llegada de la Primavera, las viejas y las nuevas Corporaciones organizan, durante la tercera semana de Abril, un reluciente cortejo con trajes de época que, después el desfile por las calles del centro, llega a la plaza Sechseläuten. Aquí, en el medio de una alegre y animada atmosfera, se quema el Böög, un maniquí que es el símbolo del invierno.

新旧ギルドが四月の第三週ごろ春を迎える祭りとしてくり広げる民族裳装のあでやかな行列が中心を通ってゼクセンロイテン広場まで続きます。楽しい賑やかな雰囲気の中で冬のシンボルボーグ人形が焼かれます。

Zürichs Aussehen im Winter ist nicht weniger eindrucksvoll als im Sommer.

L'aspect de Zurich en hiver est tout aussi suggestif qu'en été.

Zurich's aspect in winter is just as inviting as in summer.

L'aspetto di Zurigo in inverno è altrettanto suggestivo che in estate.

El aspecto invernal de Zurich es sugestivo como él veraniego.

夏でも冬でも素晴らしい
チューリッヒ。

Verlag - Edition
PHOTOGLOB AG
8045 Zürich

© 1990 , Photoglob SA,
Zürich

ISBN 3-907-53058-6
Printed in Italy by KINA ITALIA S.p.A., Milan